Ja

Tote Nachbarn & Böse Tiere

Jamie Coyson

Tote Nachbarn
&
Böse Tiere

Kurzgeschichten

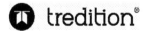

Copyright © 2020 Jamie Coyson
1. Auflage 2020

Buchcovergestaltung: Jamie Coyson
Bildmotiv: Vektorgrafik von
Peter Hermes Furian © Shutterstock.com

Buchsatz: Jamie Coyson

Lektorat: Luise Deckert
www.luise-deckert.de
Korrektorat: Sabrina Finke
www.lektorat-lesefluss.de

Verlag & Druck: tredition GmbH, Halenreie 40-44, 22359 Hamburg
ISBN: 978-3-347-13363-1 (Paperback)
ISBN: 978-3-347-15029-4 (e-Book)
Das Werk, einschließlich seiner Teile,
ist urheberrechtlich geschützt.

Bibliografische Information der Deutschen
Nationalbibliothek: Die Deutsche Nationalbibliothek verzeichnet
diese Publikation in der Deutschen Nationalbibliografie; detaillierte
bibliografische Daten sind im Internet über http://dnb.dnb.de abrufbar.

Sämtliche Personen in diesem Roman sind frei erfunden.

- Für Murphy -
Ein Spaziergang mit dir
brachte mich auf die Idee.

Inhaltsverzeichnis

Vorwort

Es war einmal eine Nachbarschaft, in der die Menschen und Tiere glücklich lebten. Es wurde fröhlich auf der Straße geplaudert, die geliebten Hunde sprangen durch das hohe grüne Gras und alle Vögel in den Bäumen zwitscherten zufrieden im Chor. Selbst die Katzen rekelten sich in ihren Verstecken. Die Wege lagen sauber gefegt in der Sonne. Die frisch geputzten Fenster der Häuser glänzten sauber im Wettstreit mit den lachenden Kinderaugen auf dem nahen gelegenen großen Abenteuerspielplatz. Es lag eine wunderbare, fast geheimnisvolle Stille über dem Wohnviertel. Alle Bewohner schienen zufrieden zu sein. Es lebte sich wirklich angenehm in dieser Nachbarschaft.

Aber einige wenige Personen und mehrere frustrierte Haustiere tanzten aus der Reihe. Schon bald sollte das friedliche Miteinander ein böses Ende nehmen. Jedenfalls überlebte nicht jeder die nächsten Wochen. Ihr werdet es hier lesen und hoffentlich darüber staunen und lachen. Vielleicht habt ihr ein wenig Mitleid, geht in euch, fangt an, eure Mitmenschen zu respektieren, oder erhaltet ein ganz anderes Bild von eurem Haustier. Ihr wisst nämlich nie, was passieren kann, wenn ihr jemandem ziemlich auf die Nerven geht.

Viel Spaß beim Lesen!

Das Fenster im Treppenhaus

Es gab eine kleine Stadt irgendwo im Westen des Landes. Dort gab es eine kleine Nachbarschaft mit Mehrfamilienhäusern im üppigen Grün. Und wie es so ist, mögen sich die Mieter oder eben nicht. Diese Geschichte handelt von einem Hausbewohner, der bei seinen Mitmenschen nicht beliebt war. Ihr fragt euch jetzt sicherlich, warum, stimmt's? Ich erzähle es euch. Aber aufgepasst: Das könnte auch in eurer Ecke passieren!

Ich nenne die Person Herr Krüger. Ein so häufiger Name, dass sich keiner, lebend oder tot, beleidigt fühlen dürfte.

Besagter Herr Krüger, Bewohner eines Hauses mit sechs Parteien, sah so aus, wie man sich einen Fabrikarbeiter vorstellt. Abgerundet wurde sein dürftiges Aussehen durch eine schlichte Umhängetasche, deren Farbe so kläglich aussah wie die wenigen Haare auf seinem Kopf. Die Arbeitsstiefel stellte der Mann jeden Tag in den Hausflur auf die Fußmatte vor seiner Wohnung, wenn er von der Arbeit kam.

Dass sein penetranter Fußgeruch in dichten Wolken durch das gesamte Treppenhaus zog, war ihm dabei völlig egal. Verließen seine Mitbewohner ihre Wohnungen, sprinteten sie zum Ausgang.

Glaubt ihr nicht? Stimmt aber.

Jeder halbwegs normale Mensch bringt seine vollen Müllbeutel direkt aus dem Haus in die dafür vorgesehenen Behälter namens Mülltonnen. Eine tolle Erfindung. Wirklich. Herr Krüger stellte den stinkenden Abfall direkt neben seine Schuhe vor der Wohnungstür ab. Oft vergingen Stunden, bis er auf dem Weg zum nächsten Kiosk, wo er seinen Vorrat an Tabak und Bier auffüllte, die überquellende Tüte nach draußen verfrachtete. In der Zwischenzeit wurden seine Nachbarn durch die Abfallgerüche belästigt, kaum dass sie das Treppenhaus betraten. Manchmal zog es sogar durch die Türschlitze in ihre Wohnungen. Sie ekelten sich so sehr, dass sie versuchten, dieser täglichen Belästigung mit diversen Raumsprays den Garaus zu machen. Nichts half.

Der Hochsommer legte sich über das Land. Die Menschen schwitzten bei mehr als 35 Grad. Herr Krüger schloss das Fenster im Treppenhaus tagsüber, somit vermischte sich die drückende Luft mit dem Gestank. Die anderen Bewohner hatten Angst, es zu öffnen, denn wenn sie es taten, gab es einen riesigen Krach. Das Ergebnis: Warme wunderbare Gerüche für alle. Und das jeden Tag. Es roch nicht nur nach Schweißfüßen und Müllhalde, sondern auch nach ungelüfteter Wohnung, Bahnhofstoilette, süßem Parfüm und Zigarettenqualm.

Im Haus lebte eine junge Familie: Mutter, Vater und Kleinkind. Diese eigentlich netten Menschen mochten es nicht mehr hinnehmen, dass es hinter ihrer eigenen Haustüre stank. Sie ärgerten sich so dermaßen darüber, dass sie dadurch fast wahnsinnig wurden. Schimpfend liefen sie die Treppen rauf und runter. Keine Frischluft!

»Unerträglich«, rief der Vater.
»Widerlich«, sagte die Mutter.
»Stink, stink«, brabbelte das Kleinkind und brummelte. »Stink, stink.«

Ja, verehrte Leserinnen und Leser, die armen Menschen litten Qualen, mit Herrn Krüger traute sich jedoch niemand zu reden. Dieser hatte sich in der Vergangenheit nämlich so sehr über die Klagen seiner Mitmenschen aufgeregt, dass die komplette Nachbarschaft hatte mithören können. Laut und grimmig hatte er die armen Menschen angeschrien, sodass sie schließlich aufgegeben hatten.

Aber das stille Leiden sollte ein Ende haben. Alle Bewohner des Hauses, außer Herrn Krüger, trafen sich heimlich in einer Gaststätte und tauschten sich aus. An jenem Abend stand für sie fest: Herr Krüger muss weg! So schmiedeten sie einen Plan und freuten sich schon auf die frische klare Luft, welche in Zukunft durch ihr Treppenhaus wehen würde. Das Ende des Stinkers rückte näher.

Sie warteten auf den geeigneten Zeitpunkt, um sich endgültig von ihrem Nachbarn zu verabschieden. Zwei Wochen später war es endlich so weit. Herr Krüger biss ins Gras. Wörtlich. Lehnt euch zurück und genießt seinen Abgang.

Wie so oft putzte die junge Mutter das große, bodentiefe Fenster des besagten Treppenhauses. Jedes Mal ärgerte sie sich darüber, dass es so schwer zu säubern war. Sie reckte und streckte sich, bis es in der heißen Mittagssonne glänzte.

Nun, liebe Leute, an diesem Tag kümmerte sie das alles nicht, denn innerlich brannte sie darauf, dass Herr Krüger von der Nachtschicht nach Hause kam. Sie hatte dafür gesorgt, dass ihr geliebtes Kleinkind zu ihren Füßen mit Glasmurmeln spielte. Sehr viele dieser bunten Kugeln kullerten über die kalten Fliesen unter dem Fenster.

Endlich war es so weit. Sie hörte die Haustür am Ende des Treppenhauses aufgehen. Herr Krüger schnaufte die Stufen hoch.

Keine Angst, liebe Leserinnen und Leser, dem Kind wird nichts passieren.

Die junge Frau griff ihren Sohn und nahm ihn liebevoll in die Arme. »Schau mal, Leon, wie schön die Mama geputzt hat! Schau mal, wie viel

frische Luft durch das offene Fenster rein-
kommt.«

Leon brüllte und zappelte. Seine Mutter drückte
ihn zärtlich an die mütterliche Brust. Herr Krüger
quälte sich die letzten Stufen hoch, ärgerte sich
über das Gebrüll und schimpfte vor sich hin. Er
hasste Kinder. Er fühlte sich so müde, dass er
nicht darauf achtete, was auf dem Fußboden so
lag. Mit einem knappen Gruß drückte er sich an
der Nachbarin vorbei.

Die sorgte genau in diesem Augenblick dafür,
dass ihr Sohn Herrn Krüger am Blaumann zog.
»Schatz, wo ist die Jacke?«

Der Stinker wich aus, wobei seine Plattfüße
Bekanntschaft mit den Murmeln machten. Er stolperte und verlor das Gleichgewicht. Entsetzt versuchte er, sich an der grinsenden Nachbarin
festzuhalten, doch diese drehte sich geschickt zur
Seite. Ehe Herr Krüger sich versah, trat er
auf Glaskugeln, schwankte stark und flog
aus dem offenen Fenster im dritten Stock
direkt auf den frisch gemähten Rasen zu. Er schrie.

Sekunden später prallte sein massiger Körper auf den Rasen, welcher durch die letzte Dürre zu Stein verwandelt worden war. Mit einem letzten schmerzvollen Ächzen biss Herr Krüger in das trockene Grün des Rasens.

Die junge Mutter begab sich seelenruhig in ihre Wohnung, setzte Leon im Laufstall ab und rief einen Krankenwagen.

Da war Herrn Krügers Seele schon längst in einer anderen Dimension.

Die Hausgemeinschaft blieb geschlossen der Beerdigung fern und feierte die frische Luft im Treppenhaus. Von diesem Tag an war das Fenster immer geöffnet. Niemand musste mehr mit zugekniffener Nase die Stufen im Laufschritt hinauf oder hinunter hechten und schon bald vergaßen die Nachbarn, dass es Herrn Krüger je gegeben hatte.

Guido

Julia lebte schon in der Nachbarschaft, seit sie vor zehn Jahren aus dem elterlichen Haus ausgezogen war. Sie kam gut zurecht und pflegte zu den anderen Hausbewohnern ein herzliches Verhältnis. Man traf sich im Treppenhaus zu einem witzigen Plausch, goss die Blumen, wenn jemand in den heiß ersehnten Urlaub flog, und schmuste mit dem Dackel von unten, der daraufhin freudig die Zunge über das halbe Gesicht zog. Es gab nichts zu beanstanden.

Doch eines Tages …
Der Sommer kam und mit ihm zog ein älterer Mann in die Wohnung neben Julias ein. Ihr Papagei Guido, ein schlaues Kerlchen, sah ihn sofort, als Julia und er auf dem Balkon die ersten Sonnenstrahlen einfingen. Er saß auf seiner Stange im kühlen Schatten, hinter der bequemen Liege, auf der sich Julia rekelte. Sie hatte ihren neusten Bikini an und nippte an einer Apfelschorle. Ein aufgeschlagenes Modemagazin lag auf ihren Oberschenkeln. Julia überlegte gerade, ob sie sich die Bluse aus der Fotostrecke des Magazins

kaufen könnte, obwohl der Preis weit über ihrem Budget lag, da rief Guido: »Er starrt! Er starrt! Er starrt!«

Das Heft landete auf dem Boden und ihr Getränk im Ausschnitt. *Scheiße*, dachte sie. »Was soll das, Guido?«

Der Papagei achtete nicht auf Julia. »Er starrt! Er starrt! Er starrt!«

Ihr müsst wissen, dass Guido nicht irgendein Federvieh war. Nein. Er hatte Psychologie, Philosophie und einiges mehr studiert. Guido war früher Professor an der Kölner Universität und wurde durch ein dummes Missgeschick bei seiner Wiedergeburt in den Körper eines Papageis katapultiert. Ja, so was kann passieren. Der Engel, der diesen Schlamassel verursacht hatte, wurde gefeuert. Er langweilte sich jetzt mit dem Sohn des Herrn. Beide schauten dem Treiben der Erdlinge zu, seufzten hin und wieder, lehnten sich zurück und resignierten. Sie durften diesmal nicht eingreifen und hielten sich an das göttliche Gebot. Der Professor, alias Guido, der Papagei, büßte seine Klugheit nicht ein und seine Vorliebe für reizende junge Frauen blieb ihm ebenso erhalten. Nachdem er diese Wiedergeburt verdaut hatte, begnügte er sich damit, seine Besitzerin anzuhimmeln und die Umgebung zu beobachten und zu analysieren.

Also, wo waren wir stehen geblieben? Hm. Ach ja.

»Er starrt! Er starrt! Er starrt!«

»Guido, hör auf damit!«, sagte Julia etwas lauter.

Guido stutzte. *Wieso, Julia*, fragte er sich. *Merkst du noch was?*

Julia hob das Magazin auf und tupfte ihr Dekolleté mit einem Taschentuch ab. Guido schüttelte sein gefiedertes Köpfchen und verdrehte die Augen. *Ich brauche Aufmerksamkeit!*

»Oh, geht es dir nicht gut?« Julia fixierte ihn mit einem abschätzenden Blick. »Du Armer. Nicht dass du von der Stange kippst.«

Ach du liebes bisschen. Also noch mal von vorne.
»Er starrt! Er starrt! Er starrt!«

Guidos Vogelstimme krächzte durch die Nachbarschaft. Sie blickte sich um und erkannte, was ihr kleiner Federfreund meinte. Auf dem Balkon der Nachbarwohnung stand ein Mann an der Brüstung und starrte gierig zu ihr herüber. Er hörte nicht auf damit, selbst als sie ihr Gesicht angewidert verzog, und zuckte mit keiner Wimper. Julia bedeckte ihren Oberkörper mit dem Magazin und hechtete in die Wohnung.

Aus ihrem Wohnzimmerfenster heraus, hinter einem Vorhang versteckt, äugte sie unruhig zu dem neuen Nachbarn hinüber. Er sah immer noch in ihre Richtung, so als ob er genau wüsste, dass sie ihn beobachtete. Seine Gesichtszüge zeigten keine Regung. Wie eingefroren. Ihr lief ein kalter Schauer über den Rücken. Schnell schaute sie zu Guido. Der saß jetzt stumm auf der Stange und pflegte seine bunten Federn, während Julia minutenlang hinter dem Vorhang stand. Und genau so lange starrte der Mann in ihre Richtung.

Der nächste Tag.

Julia kam von der Arbeit nach Hause. Sie liebte ihren Job. Gut gelaunt parkte sie ihr kleines Auto und lief zur Haustür. Doch ehe sie den Schlüssel ins Türschloss stecken konnte, bekam sie ein komisches Gefühl. Jemand beobachtete sie.

Blitzschnell schaute Julia die Hausfassade hoch. Aber da war niemand. Sie blickte die Fenster entlang. Dann …

Hinter einer Gardine sah sie plötzlich einen dunklen Umriss. Der Nachbar! Langsam schob dieser den Stoff beiseite. Sein Blick glitt über ihren Körper von unten nach oben, zog sie förmlich aus.

Widerlich! Sie drehte sich weg und betrat schnell das Treppenhaus. In der Wohnung angekommen fluchte sie und schickte Verwünschungen an den schmierigen Typen. Guido hörte aufmerksam zu. »Das Geglotze ist ekelhaft.« Das dachte Guido auch.

So vergingen einige Tage. Jedes Mal, wenn Julia auf die Straße trat, stand der Mann dort oben und beobachtete sie. Egal was sie tat. Ob sie von der Arbeit kam oder sich mit einer Freundin traf. Diese gierigen Augen verfolgten sie jeden Abend bis in den Schlaf. Doch Julia versuchte, das Starren zu ignorieren. Sie liebte den Sommer und deshalb saß sie mal wieder auf dem Balkon. Mit ihrem Handy surfte sie im Internet.

Guido hockte auf der Stange und genoss die Sonnenstrahlen, während er sich genüsslich am Kopf kratzte und an seine alte Uni dachte. Dann fiel sein scharfer Blick auf den Balkon nebenan. *Also wirklich!* Da stand der Nachbar und stierte ungeniert auf seine Besitzerin! Seine Julia!

Geht's noch? Guido rief: »Er starrt! Er starrt! Er starrt!«

Julia fiel vor Schreck fast von der Liege. Das Handy polterte zu Boden. »So ein Mist!«

Guido verstummte. *Endlich!*

Genug ist genug, dachte Julia. Noch ehe sie selber wusste, was geschah, stand sie schon vor der Wohnungstür des Mannes und schlug auf die Klingel. Es dauerte eine Weile, doch dann öffnete der Spanner die Tür. Seine Augen fuhren über ihren Körper, sodass sie sich sofort nackt fühlte. Julia riss sich zusammen. Ein unverschämtes Grinsen folgte und er sagte mit leiser Stimme: »Endlich sehe ich Sie mal aus der Nähe!«

Arrgh, widerlich! Julia schüttelte sich vor Ekel und erwiderte: »Hören sie auf, mich zu beobachten! Haben sie verstanden?«

»Gucken wird doch erlaubt sein, oder?«

»Nein. Schluss jetzt oder ich zeige sie an.« Sie drehte sich um und floh in ihre Wohnung. Ihr Atem ging schnell und sie stolperte zur Couch.

Guido hatte aufmerksam zugehört. *Ungeheuerlich, dass so ein Kerl die super Atmosphäre im Haus störte.* Also dachte er die nächsten Tage angestrengt nach.

Julia unterließ es währenddessen, sich auf dem Balkon zu sonnen. Sie saß schweigend auf ihrer

Couch und ließ sich vom langweiligen Programm berieseln.

Das darf so nicht weitergehen! Schluss damit! Guido hüpfte aufgeregt durch die Voliere. Endlich formte sich eine Idee in seinem bunten Köpfchen. Kräftig schüttelte er sein Gefieder. *Hör auf damit! Du hast eine Mission! Krieg dem Spanner!* In Wirklichkeit hasste er Gewalt, aber es tat weh, mit anzusehen, wie Julia fast schon schwermütig in der Wohnung hauste und ungern zur Arbeit fuhr, weil ständig dieser Psycho am Fenster stand und gaffte.

Es dauerte ein paar Tage. Julia hatte Guido auf den Balkon verfrachtet und gemurmelt, dass wenigsten einer von ihnen Spaß haben müsse. Danach hatte sie sich wieder auf die Couch zurückgezogen.

Das ist meine Chance! Guido flatterte hin und her. Sprang von der Stange auf den Boden und zurück. Er brauchte nicht lange warten. Wenige Augenblicke später kam der ekelige Nachbar auf den Balkon und lehnte sich über die Brüstung.

Sein lüsterner Blick glitt hinüber in der Hoffnung, Julia zu sehen. Sein Gesicht verzog sich zu einer hässlichen Fratze, als er anstelle der jungen Frau den grimmig schauenden Papagei entdeckte. Oh, wie er Vögel hasste!

Guido versuchte, Ruhe zu bewahren. Er vergewisserte sich, dass seine Julia vor dem Fernseher beschäftigt und niemand sonst auf den umliegenden Balkonen zugegen war. Dann nahm der Vogel seinen ganzen Mut zusammen. *Okay, los geht's!* Guido nahm kräftig Schwung und schon glitt er mühelos durch die Luft. Der Nachbar bekam riesige Augen, als er das Federvieh auf sich zufliegen sah. Er warf hektisch die Arme nach oben und zur Seite, versuchte, den Vogel abzuwehren. Dieser kam mit ausgestreckten Krallen auf ihn zu und bohrte sich genüsslich in das hängende Oberarmfleisch des Mannes hinein. Der fluchte und schrie. Sprang wütend auf dem Balkon herum. Guido hörte nicht auf. *Jetzt erst recht*, dachte er.

Der Nachbar schlug nach ihm, versuchte Federn herauszureißen, und ja, der bunte Vogel verlor tatsächlich einige, doch es gelang dem Menschen nicht, ihn loszuwerden. Im Gegenteil. *Attacke! Attacke! Attacke!* Den Ruf bekamen die umherfliegenden Raben mit, sahen sich eine kurze Weile die Szene an und formierten sich zu einer Armee der Gesetzlosen. Ja, ein Vogel half dem anderen. Sie kreisten kurz über dem Gebäude und begaben sich in einen steilen Sinkflug. Im Nullkommanichts schwirrten zwanzig Raben auf dem Balkon des Mannes umher, attackierten ihn mit Krallen und Schnäbeln und krächzten in jeder Tonlage.

Langsam verließen den Nachbarn die Kräfte. Er wankte bedrohlich. Wenig später kippte er um und lag wie ein verdrehter Käfer auf dem Boden, über und über mit Vögeln bedeckt. Aus tiefen Wunden floss sein warmes Blut auf den dreckigen Balkon, vermischte sich mit Blumenerde und welken Blütenblättern. Der Mann wimmerte leise, denn die Schmerzen wurden immer heftiger. Er wehrte sich nach Leibeskräften, doch er hatte keine Chance. Die Raben gaben den Weg frei und so schwebte der Papagei über dem Gesicht des ungeliebten Nachbarn. Nur wenige Zentimeter entfernt.

»Schau dich gut um! Schau dich gut um! Es wird das letzte Mal sein!«

Der Mann erstarrte. Guido setzte die ultimative Waffe ein – seinen spitzen starken Papageienschnabel. Er ließ sich auf das Gesicht des Nachbarn fallen. In der nächsten Sekunde pickte er kräftig in die Augen des Spanners und hörte erst auf, als alles nur noch eine klebrige Masse war. Die Schreie des Mannes verstummten und die Raben fielen genüsslich über den Rest des Körpers her, pickten gierig das Blut vom Boden und rissen das Fleisch ihres Opfers in Fetzen.

Einige Minuten lebte Julias Nachbar noch, bekam alles mit, doch dann trafen mehrere Vögel auf seine Hauptschlagader und das Blut floss wie der Rio Grande aus ihm heraus. Das Wimmern verstummte. Guido sah dem Ganzen eine Weile zu. Immer mehr Viecher kamen und labten sich genüsslich an dem köstlichen Menschenmahl. Niemand im Haus bekam mit, was für ein Drama sich auf dem Balkon abspielte. Niemand hörte die Schreie des Mannes. Am Abend wunderten sich einige Bewohner des Hauses, warum es so komisch roch. Doch erst als sich der Gestank ein paar warme Tage später nicht mehr verleugnen ließ, rief jemand die Polizei und die wenigen verbliebenen Überreste des Spanners wurden abtransportiert.

Langsam kehrte Ruhe ein und jede Frau aus dem Haus fühlte sich wieder sicher. Guido saß in der Voliere und seufzte zufrieden. Die vielen Hitchcock-Filme in seiner Jugend hatten sich ausgezahlt.

Ein Hauch von Plüsch

Augen. Tote Augen. Überall. Links und Rechts. Oben und unten. Auf den Regalen, dem Boden, Fensterbrettern und Sofa. Ringsum. In allen Farben und Größen.

Die kleinen Stofftierchen saßen selbst auf dem Fernseher. Igel, die so hässlich aussahen, dass sie schon fast wieder schön waren. Sie alle starrten stumpf vor sich hin. Bewegten sich nicht und bekamen doch alles mit. Was sie sahen, wird niemand jemals erfahren. Sie schweigen. Für immer.

Edgar Esche hatte niemals beabsichtigt, ein Mörder zu werden. Das Leben ließ ihm keine andere Wahl. Der Anblick, der sich ihm jeden Tag seit Jahren bot, raubte ihm fast den Verstand. In den kurzen Augenblicken nach seiner Tat, in denen er Reue empfand, kamen Erinnerungen hoch. Dann spürte er seine böse Seite und die kleinen Knopfaugen eines weißen Bären verfolgten ihn.

Sein Spiegelbild zeigte einen Menschen, der mit seiner Tat davongekommen war.

Einer, der in diesem Augenblick bis über beide Ohren grinste und Zufriedenheit ausstrahlte. Ein langer Weg lag hinter ihm. Eine schwierige Situation, in der er sich hatte zusammenreißen müssen.

Wochenlang hatte er über den Ablauf des Mordes gebrütet. In Gedanken waren die Bilder hin und her gewirbelt, bis das Opfer ihn auf eine Idee gebracht hatte. Elisabeth, seine Ehefrau, war eine leidenschaftliche Sammlerin von Stoffviechern. Groß oder klein, ganz egal. Sie lebte nur für ihr Hobby. Ihr Ehemann kam höchstens auf den zweiten Rang und ging unter in ihrem Kaufzwang und Stofftierchenwahn.

Er fühlte sich verfolgt von den Biestern. Er hasste sie. Nie luden sie Gäste zu sich ein. Wo sollten die Leute auch sitzen? Bestimmt nicht zwischen dem zwei Meter großen Eisbären auf dem Sofa und der riesigen grauen Maus vom Jahrmarkt. Urlaub gab es ebenfalls keinen. Das Hobby seiner Frau fraß das Geld. Von der mickrigen Rente blieb nichts übrig. Manchmal bekam Edgar keine Luft, die Räume schrumpften zusammen und die Viecher kamen näher.

Unheimliche Albträume und Panikattacken quälten ihn. Stofftiere! Immer nur Stofftiere! Sogar im Schlafzimmer! Vermehrten sie sich von alleine?

Das Schlimmste aber erlebte er jeden Tag auf der Straße, wo er sich öfter aufhielt, als ihm recht war, nur damit er die Enge der Wohnung nicht mehr ertragen musste. Die kranke Sammelleidenschaft seiner Frau hatte sich in der Nachbarschaft herumgesprochen. Die Leute grinsten Edgar an. Machten dumme Bemerkungen.

»Na, haste auch ein Kuscheltier im Bett?«
»Hallo, Bärchen!«

Einige Leute begnügten sich mit einem müden Lächeln. Das musste endlich aufhören. Die blöden Viecher mussten verschwinden!

Einmal im Jahr kam die große Putzaktion. Innerhalb weniger Tage galt es, hunderte Stofftiere von ihren Plätzen zu nehmen, alles zu entstauben und wiederherzurichten. Elisabeth wackelte durch die enge Wohnung, entstaubte ihre Tierchen und dekorierte sie um.

Dabei sang sie ein amerikanisches Lied über einen Teddybären. Ihre Stimme schrillte durch die Räume und übertönte den Staubsauger. Edgar raste damit durch die angrenzenden Wohnräume.

Ein paar Stunden vergingen und Elisabeth kümmerte sich um die Stoffviecher auf den oberen Regalen. Sie stand auf einer Leiter, reckte und streckte sich, doch ihren dicken Fingern gelang es nicht, den Korb mit der Eisbärensammlung zu erwischen. Die Leiter wackelte. Heftig und unaufhaltsam. Elisabeth rief nach ihrem Mann. Aber Edgar blieb im Schlafzimmer, nachdem er mit dem täglichen Staubsaugen fertig war, und tat, als ob er sie nicht hörte.

»Edgar! EDGAR! Hilf mir mal!«

Es ging los. Endlich. Er verkniff sich ein triumphierendes Grinsen. Vorsichtig näherte sich Edgar, blieb hinter dem Türrahmen außer Sicht und sah zu, wie Elisabeth versuchte, sich an dem Regal festzuhalten, doch sie besaß nicht die nötige Kraft. Sie kreischte, als eine der Stufen brach und das Regal sich von der Wand löste. Elisabeth verlor vor Schreck das Gleichgewicht, bekam mit einer Hand den Korb Eisbären zu fassen und knallte rückwärts auf den harten Parkettboden. Ein kurzes Stöhnen und sie verlor das Bewusstsein. Das alte Bücherregal, vollbeladen mit Eisbären, stürzte mit einem lauten Krachen auf sie. Begrub sie. Sie war über und über mit weißen Bären eingedeckt.

Edgar Esche betrat das Wohnzimmer. Kurz fühlte er ihren Puls, atmete tief ein und griff sich einen kleineren Eisbären. Diesen drückte er in den Mund seiner Frau, der zwischen zwei losen Brettern hervorlugte. Er drückte ihn tief in ihren Hals und spürte kein Mitleid. Das flauschige Weiß des Stofftierchens vermischte sich mit ihrem Speichel und aus ihrer Kehle drang ein ersticktes Röcheln. Kurz darauf war es still. Edgar fühlte erneut ihren Puls. Nichts.

Edgar zog seine Jacke an, warf keinen einzigen Blick mehr zu der Person, mit der er so lange verheiratet gewesen war, und verließ die Wohnung. Niemand beachtete ihn. Edgar spazierte einen

Kilometer entfernt durch ein kleines Wäldchen. Ein fröhliches Summen auf den Lippen. Endlich konnte er sich seiner eigenen heimlichen Leidenschaft widmen.

Dafür brauchte er den Platz in der Wohnung, der frei geworden war. Eine Sammlung Porzellankatzen wartete in einer großen Garage darauf, die Flächen in den Räumen einzunehmen. Hunderte. Vielleicht sogar Tausende. Er zählte sie nicht. Edgar liebte die Figuren über alles. Mehr, als er seine Frau je geliebt hatte.

Rache ist ...

Der Sommer zeigte sich in all seiner heißen und trockenen Schönheit. In dieser Zeit begab sich eine beträchtliche Schweinerei in unserer kleinen Nachbarschaft.

Frau Meir-Winterkothen (Name geändert) ging mehrmals täglich mit ihrem Spitzmischling Hasso spazieren. Dabei kam sie an Haus Nummer 42 vorbei. Dort wohnte eine alte, griesgrämige Frau. Deren gefärbte Haare hatten ihr besser gestanden als ihr Naturlook. Sie hatte nichts anderes zu tun, als den ganzen Tag vor dem Küchenfenster zu verbringen und vorübergehende Menschen, am liebsten Hundebesitzer, zu beobachten.

Frau Meir-Winterkothen ließ ihren Hund an der langen Leine laufen. Dieser sprang glücklich über den frisch gemähten Rasen unterhalb des Fensters der leider nicht Gefärbten, blieb stehen und schnupperte in die Luft. Plötzlich flog das Küchenfenster mit einem Ruck auf und Frau Ungefärbt steckte ihren dicken Kopf heraus. Die Hundehalterin bekam einen Schreck und das arme Tier sprang in Panik zur Seite, als es schon tönte: »Verziehen Sie sich gefälligst mit Ihrem Köter.«

»So eine gemeine Frechheit«, antwortete Frau Meir-Winterkothen. Das Fenster wurde ohne jeden weiteren Kommentar wieder geschlossen.

Es ist so, dass Frau Meir-Winterkothen nicht das erste Mal mit Frau Ungefärbt zu tun hatte. Die Frau im Parterre mochte es überhaupt nicht, dass Hunde an ihrem Küchen- oder Schlafzimmerfenster vorbeispazierten. Erst recht nicht, wenn dabei geschnüffelt, gepieselt oder Schlimmeres erledigt wurde. Es machte auch keinen Unterschied, wenn die Besitzer die Häufchen entfernten. Diese Person lehnte Hunde generell ab. Ähnliche Vorfälle waren nicht nur Hasso und seinem Frauchen bekannt. In der Nachbarschaft sprach man unter den Tierfreunden über sie.

Frau Meir-Winterkothen ließ der Vorfall am Fenster keine Ruhe mehr. Sie telefonierte mit ihrer Freundin Ulla und beklagte sich. Selbst Hasso lag in seinem Korb und verzog die Schnauze.

Ulla hatte Ähnliches zu berichten. Frau Ungefärbt hatte ihr vor einigen Monaten zu verstehen gegeben, dass Ulla einen eigenen Rasen vor der Haustüre habe und diesen gefälligst benutzen solle. Ulla besaß keine Wiese, aber ein lockeres Mundwerk. Sie hatte erwidert, dass ihr Rüdiger – ein schneeweißer Pudel – dort sein Häufchen mache, wo er es wolle. Schließlich sammle sie die Hinterlassenschaften immer auf.

»Ach du meine Güte«, rief Frau Meir-Winterkothen.

Die beiden Freundinnen redeten sich in Rage und benutzten ziemlich fiese Ausdrücke für Frau Ungefärbt. Nur weil sie einen Hund besaßen, sollten sie sich schlecht fühlen und sich so behandeln lassen? Eine Veränderung musste her. Bei einem Stammtischgelage in der nahen Kneipe besprachen sie das Thema mit anderen wütenden Hundebesitzern.

»Die blöde Kuh hat nur das Fenster aufgemacht, weil ich mit meinem Liebling dagestanden habe!«
»Hat die sonst nichts zu tun?«

»Ich fühle mich beobachtet …« Stundenlang schwatzten und lästerten sie.

Der kleine Fritz, seine Mutter hatte ihn an der Theke abgeladen, hörte sich das Gejammer der Erwachsenen an. Fritz mochte die böse Frau aus dem Parterre nicht. Der Junge kam plötzlich auf eine Idee und grinste breit. Am nächsten Tag stand er in der großen Pause auf dem Schulhof in einer Ecke mit einem Dutzend seiner Freunde. Sie lachten und feixten und freuten sich über den erdachten Streich.

Oder besser gesagt: den Racheplan!

Nach der Schule lief die kleine Bande durch die Stadt. Bewaffnet mit Kotbeuteln sammelten sie Hundehaufen auf, die von nicht bekannten Vierbeinern hinterlassen worden waren. Diese Prozedur wiederholten sie mehrere Wochen lang und kamen so auf eine stattliche Menge Hundekot. Die Hinterlassenschaften bewahrten sie heimlich in geklauten Plastiktüten hinter einem Busch auf. Niemand bekam etwas von ihren Aktivitäten mit.

Die trockene Hitze des Sommers verwandelte sich allmählich in eine feuchte Schwüle. Da war es nur natürlich, dass die Bewohner in den umliegenden Häusern die Fenster sperrangelweit aufrissen. Die Zeit der Fäkalien-Rache kam!

Dutzende, nein, unzählige Tüten voller Hundekot und Fliegen warteten auf ihre Bestimmung. Mittels einer Räuberleiter und einer Kinderkette gelangte der Kot in die Küche der Frau Ungefärbt. Die braunen Berge türmten sich zwischen der altmodischen Küchenzeile und dem Esstisch. Stinkende Wolken und große Fliegenschwärme quollen aus dem geöffneten Fenster, vermischten sich mit der Hitze des Tages und peinigten die Kinder bei ihrer Arbeit. Sie hatten Glück. Frau Ungefärbt stand unter der Dusche und bekam von ihrer Tat nichts mit. Die anderen Nachbarn kümmerten sich nicht. Als der Hundekot die Tischkante erreichte, lachten die Kleinen und verzogen sich.

Nur Fritz blieb, um zu beobachten, wie die Frau reagierte und um alles mit der Handykamera zu dokumentieren. Er stand auf einer niedrigen

Mauer, die einen Teil des angrenzenden Rasens umschloss und wartete.

Wenige Augenblicke später öffnete die unfreundliche Nachbarin die Tür zur Küche. Eine dunkle Wolke aus Fliegen begrüßte sie. Sie schrie auf, würgte und ihr Mageninhalt entlud sich über den Hundekot. Der Boden zu ihren Füßen, schleimig und feucht, gab ihr den Rest. Sie rutschte aus, riss entsetzt die Augen auf und fiel kopfüber in den braunen Berg. Langsam schwanden ihr die Sinne und sie wurde ohnmächtig. Sofort füllte sich ihr Mund mit den Hinterlassenschaften Hunderter Hunde und sie erstickte.

Es war ein furchtbarer Anblick, der sich dem kleinen Fritz bot. Doch er hielt tapfer die Kamera drauf.

Nach einer Weile kam eine Nachbarin vorbei. Sie bemerkte die Not der Frau Ungefärbt nicht, denn ihre Brille hatte sie zu Hause vergessen und Fritz hielt geistesgegenwärtig die Kamera in die Höhe, sodass es aussah, als ob er den Himmel und die Baumwipfel einfangen wollte.

Die alte Dame sagte: »Na Fritzchen, filmst du jetzt auch für das Internet?«

»Ja, Frau Steinberg.«

»Na dann mach schön weiter! Vielleicht kommst du mal nach Hollywood.«

Die Schminke

Kommen wir zu einem weiteren Bewohner unserer wunderschönen, aber tödlichen Nachbarschaft. Es gab dort einen Wellensittich namens Bubi.

An einem sonnigen und auch sonst überhaupt herrlichen Tag fiel diesem Vogel auf, dass er sich einsam fühlte. Weil er so unzufrieden mit seiner Gesamtlage war, entschied er sich, etwas zu ändern. Bubi sehnte sich nach Freiheit und der wirbelnden Luft unter den Federn. Und ihm fehlten die Unterhaltungen mit anderen Vögeln. Jeden Tag hörte er sie schwatzen und über die Menschen lästern. Er lebte hingegen wie ein Gefangener: einsam und allein hinter Gittern. Der Vogel hasste seine Besitzerin. Deshalb und weil sie die Unerträglichste in der ganzen Nachbarschaft war, musste die Frau aus dem Weg geräumt werden.

Warum? Nun, sie war jeden Tag so unfassbar übertrieben und grotesk geschminkt, dass manche Nachbarn sich erschreckten, wenn sie ihr auf der

Straße begegneten. Einige behaupteten felsenfest, dass die braune Schicht auf der Haut der Frau schon längst nicht mehr abwaschbar sei. Sie lief mit einer alten verrunzelten Lederhaut umher. Niemand kannte ihren wirklichen Namen, kein Mensch warf einen Blick auf das Klingelschild.

Frau Schminke besaß eine dermaßen laute und schrille Stimme, es grenzte schon an Ruhestörung, wenn sie sich mit jemandem in ihrer Wohnung unterhielt. Deshalb wurden die Damen und Herren der umliegenden Häuser stets über das Leben der Frau Schminke informiert.

Am schlimmsten war es, wenn sie Besuch von einem Mann bekam. Dann dröhnte ihr Gestöhne durch die Straßen, bis die Mauern wackelten. Bubis Besitzerin roch nach billigem Parfüm und einer Menge Haarspray. Dicke Nebel durchzogen täglich das Treppenhaus und drangen bis auf die Straße.

Ja, sie war nicht auszuhalten. Aber am schlimmsten traf es den armen Bubi!

Der Wellensittich lebte in einem Käfig, der direkt am zugigen Fenster in der Küche stand. Nur manchmal wagte er einen sehnsüchtigen Blick nach draußen, wo die anderen Vögel am blauen Himmel ihre Kreise zogen. Dann wurde er depressiv, piepste betrübt und dachte daran, sich von der Stange fallen zu lassen.

An einem Tag stoppte er gerade noch rechtzeitig seinen Sturz in den Tod, hangelte sich am Gitter der Behausung wieder hoch und setzte sich auf seine marode Holzstange. Bubi beobachtete seine Besitzerin, denn er wartete darauf, dass sie den Käfig öffnete, damit er abhauen konnte.

Frau Schminke stand am Spülbecken ihrer Küchenzeile und wusch Gemüse. Sie trällerte einen Schlager, was bei Bubi pures Grauen verursachte. Als dann der neuste Liebhaber der Frau die Küche betrat, um sich zu verabschieden, bekam der Sittich mit, was an diesem Tag zum Essen geplant war: Fisch mit Pommes und Kohl. Daraufhin schmiedete er einen Fluchtplan. Bubi behielt die nächsten Stunden die Geschehnisse in der Küche im Blick, denn er durfte die beste

Gelegenheit nicht verpassen. Während er wartete, kamen ihm Gedanken in den Kopf. Frau Schminke schrie immer, wenn er mal etwas zu glücklich piepste. Er hatte leise zu sein. Einmal hatte sie vergessen, ihm Futter zu geben! Fast wäre er verhungert, hätte nicht einer ihrer Kerle mitbekommen, dass er traurig und mager aussah. Vor Verzweiflung hatte er angefangen, die leeren Futterhülsen aus dem Käfig zu werfen. Dann kam die Stunde seiner Flucht.

Frau Schminke riss das Küchenfenster sperrangelweit auf, denn sie ertrug den Geruch ihres eigenen Essens nicht. Damit hatte Bubi gerechnet. Seien wir mal ehrlich, niemand riecht gerne gebratenen Fisch und altes Frittierfett für Pommes. Nicht zu vergessen, den Kohl, der aus einer Schüssel quoll. Alle diese Gerüche vermischten sich mit dem Parfüm und dem Haarspray. Stocksteif wartete Bubi in einer Ecke seines Gefängnisses darauf, dass Frau Schminke den Käfig für die nächste Fütterung öffnete. Dabei versuchte er, seine Nasenlöcher vor dem Gestank zu verschließen, doch mangels der dafür notwendigen

Anatomie blieb dem armen Vogel nichts anderes übrig, als die Dunstwolken zu ertragen.

Dann öffnete sie endlich den Käfig. Bubi nahm allen Mut zusammen und drängte sich an ihrer dicken Hand vorbei, hinaus in die Küche. Frau Schminke schimpfte und sprang hinter dem armen Vogel her, aber sie bewegte sich zu langsam und konnte ihn nicht greifen. Flink flog er jedes Mal davon und setzte sich in die hinterste Ecke auf einen Schrank. Frau Schminke ließ schnell den Vogel Vogel sein und wollte die Fritteuse entleeren. Aber sie vergaß, dass das Fett darin nicht abgekühlt war. Bubi beobachtete sie vom Küchenschrank aus. Nichts entging seinen scharfen Augen. Seine Besitzerin hantierte ungeschickt mit dem Sieb und dem Topf. Er wartete auf den geeigneten Zeitpunkt.

Dumm wie die Frau nun mal war, versuchte sie, das heiße Fett in den Ausguss ihrer Spüle zu kippen. In diesem Moment holte Bubi Schwung und flog zu ihr hinüber. Er flatterte über ihrem Kopf und piepte lautstark. So schrill, dass die Vögel draußen verstummten und zuhörten.

Glaubt ihr mir nicht? Stimmt aber. Denn es gibt eine universelle Vogelsprache. Wirklich! Hoppla, jetzt habe ich es verraten. Nicht weitersagen!

Frau Schminke fluchte und zeterte wie eine alte Hexe. »Bubi, hau ab, du blöder Vogel! Verschwinde!«

Doch der Wellensittich hörte nicht auf das, was sie sagte. Er pickte mit seinem kleinen Schnabel in ihr Gesicht. Frau Schminke wankte, aber hielt die Fritteuse mit ihren dicken Wurstfingern fest. Ihr Kopf zuckte nach links und dann wieder nach rechts. Doch sie konnte Bubi nicht ausweichen. Immer schneller flog er um sie herum und immer lauter zwitscherte er ihr die Ohren voll.

Sie schimpfte und schrie, dennoch hörte der Vogel nicht auf. Sie vergaß, dass sie die Fritteuse in Händen hielt, und regte sich dermaßen auf, dass sich in ihrem Kopf alles drehte. Frau Schminke schwankte bedrohlich, und dann war es um sie geschehen. Sie stolperte nach hinten, um dem Sittich auszuweichen, und innerhalb weniger Sekunden ergoss sich das heiße Fett auf ihr

Gesicht und ihr Dekolleté. Ihr Make-up löste sich in Sekundenschnelle auf und sie kreischte lauter als jemals zuvor. Dann Stille. Denn das Fett lief ihr in die Nase und den Mund hinein und zog eine brennende Bahn zwischen ihren Brüsten. Ihre Haut verbrannte, und sie versuchte panisch Luft zu holen.

Währenddessen flog Bubi über ihr eine extra Runde und freute sich. Frau Schminke krächzte und röchelte, doch es war zu spät. Das heiße Fett brannte sich durch die Luftröhre und die Speiseröhre in ihren Körper. Sie unternahm einen letzten Versuch, zu Atem zu kommen, aber sank ohnmächtig zur Seite. Innerhalb weniger Minuten hatte sie das Zeitliche gesegnet.

Da lag sie nun in einer Lache aus Frittierfett und über ihr flog Bubi seine Abschiedsrunde. Ein fröhliches Lied auf dem Schnabel segelte er durch das offene Küchenfenster hinaus und wurde von einer Schar Bewunderer, alles Raben, freundlich begrüßt. Ja, ja, die Raben! Natürlich tratschten sie so laut, bis auch Guido, der Papagei, zwei

Eingänge weiter davon Wind bekam und sich für Bubi freute.

Frau Schminke wurde erst Stunden später von ihrer eigenen Mutter gefunden. Zu dieser Zeit war Bubi schon über alle Berge. So ist das mit den Haustieren. Traut ihnen nicht. Wer weiß, was sie so planen.

Ein Hund namens Waldi

Waldi, ein Kurzhaardackel, wohnte auch in der bekannten Nachbarschaft.

Äußerlich sah er gelassen aus. Niemand merkte, was in seinem kleinen Hundegehirn vor sich ging. Doch er dachte viel nach. Zum Beispiel über das alte Ehepaar, beide schon Rentner, bei denen er lebte. Der Mann sah jeden Tag so aus, als würde er auf die Jagd gehen. Immer die gleichen Klamotten. Alles in Grün. Und dann sein Hut. Ebenfalls grün. So wie ihr Ehemann verzog auch die Frau das Gesicht, wenn andere Menschen mit ihren geliebten Vierbeinern den Weg kreuzten. Sie grüßten sie kaum. Waldi begleitete sie auf Spaziergängen durch die Nachbarschaft und in die Stadt zum Einkaufen. Dabei wurde der Arme an der kurzen Leine gehalten, oft gezogen und herrisch angegangen, wenn er fröhlich auf einer Wiese schnupperte. Sobald Waldi einen Mucks von sich gab oder gar bellte, wenn Artgenossen in die Nähe kamen, schimpften sie den kleinen Dackel aus. Sein größter Wunsch war es, mit den anderen Hunden in der Nachbarschaft zu spielen, wenigstens an ihnen zu schnüffeln, um Kontakt aufzunehmen. Aber keine Chance. Seine Halter zogen ihn erbarmungslos weiter. Alles verboten!

Es gab viele Hunde in den anderen Häusern und er beobachtete sie sehnsüchtig, wenn sie auf der Wiese umherliefen. Da war dieser große Schwarze, Rasse unbekannt. Er lief, oft leinenlos, glücklich über die Wiesen und erschreckte arglose Spaziergänger, indem er zu ihnen galoppierte, kurz vorher abbremste und sie grimmig anstarrte. Eine kleine, schüchterne Hündin wohnte neben dem großen Schwarzen. Sie schaute mit ihren winzigen Knopfaugen neugierig, aber vorsichtig durch die Gegend. Nebenan lebte der King des Blocks. Sozusagen. Ein brauner Chihuahua-Rüde. Immer aufgedreht und frech. Gleich gegenüber wohnte eine mittelgroße dunkle Schönheit. Sie hörte aufs Wort. Im gleichen Haus gab es einen Boxer. Klug und ruhig erledigte er seine Geschäfte, wenn sein Frauchen mit ihm Gassi ging.

Sie alle kannten Waldi und er kannte sie, aber miteinander spielen durften sie nie. Während er mal wieder über den Bürgersteig gezerrt wurde, vorbei an den Hundefreunden, ratterten seine Gedanken hin und her.

Warum werde ich durch die Gegend geschleift? Warum werde ich von meinen Besitzern ausgeschimpft? Warum ist es nicht erlaubt, mit dem großen schwarzen Hund, der kleinen Schüchternen, dem King, der mittelgroßen Schönheit und dem Boxer zu spielen? Was ist mit Herumtollen und Schnüffeln?

Es wurde nicht besser und so fasste Waldi einen Plan.

Ich werde Herrchen und Frauchen beseitigen. Ja, das wird ein Spaß!

Dieser Gedanke ließ den Hund nicht mehr los. Niemand bekam mit, dass Waldi immer nachdenklicher wurde. Er ließ sich weiterhin durch die Straßen ziehen. Vorbei an den anderen Vierbeinern, die von seinem Frauchen beleidigt wurden.

»Blöde Töle! Böser Hund!«

Ah, diese Ausrufe! So gemein. Die jeweiligen Besitzer schauten verärgert weg. Nicht so Waldi. Er fühlte sich peinlich berührt und schämte sich. Das festigte seinen Entschluss.

Einige Wochen vergingen und der schlaue Dackel wartete auf die passende Gelegenheit. Es kam unerwartete Hilfe in Gestalt des Paketboten. Der Mensch, der immer die riesigen, schweren Lieferungen die Treppen hinaufschleppte, machte stets einen gelangweilten Eindruck. Er hatte keine Ahnung, dass er zu Waldis Mittäter werden würde. Als es an der Tür klingelte und Waldi die Stimme des Paketboten vernahm, hatte er die zündende Idee.

Er hörte die schweren Schritte und ein Schnaufen wie von einem alten Walross. Nur wenige Sekunden später stand der arme Mittäter vor seinem genervten Besitzer.

»Ich habe nichts bestellt«, fauchte das Herrchen den Boten an. Waldi, der direkt hinter der Tür wartete, grinste. Ja. Auch Hunde grinsen. Noch nicht gesehen? Stimmt aber!

»Das Paket ist für Ihre Nachbarn«, antwortete der Paketbote.

»Ist mir egal. Nehmen sie es wieder mit«, sagte Waldis Besitzer. Seine Frau kam dazu. Sie nickte zustimmend und schob mit einem Bein den armen Dackel zur Seite. Waldi ließ es geschehen, denn er wusste, dass ihr Ende nahe war.

»Können Sie gleich wieder mitnehmen«, meinte das Frauchen nun.

»Aber …«, erwiderte der Bote vorsichtig.

»Nichts aber«, sagte das Herrchen. »Gehen Sie und nehmen Sie das Zeug wieder mit!«

Der arme Mann vom Paketdienst grummelte in seinen struppigen Bart und schickte sich an, die Treppen hinunterzugehen.

»Was haben Sie gesagt?«, wollte das Herrchen wissen. Der Bote antwortete nicht. Waldi wartete auf seinen Einsatz. Seine Besitzer standen laut schimpfend an der Treppe und er schlich sich vorsichtig an. Der Moment der Rache. Endlich. Der Dackel wusste aus Erfahrung, dass in wenigen Sekunden die Müllabfuhr kommen und mit ihrem schrillen Getöse beim Entleeren der Mülltonnen die Schreie seiner Halter überdecken würde. So der Plan.

Waldis Besitzer schimpften immer noch über den Paketboten, der auf der Straße mit brummenden Motoren das Weite suchte und dem Müllwagen Platz machte.

Jetzt, dachte sich der Dackel. Er nahm Anlauf und sprang zwischen den wackeligen Beinen seines Frauchens hindurch die Treppe hinunter.

Sie schrie auf, als sie versuchte, den armen Waldi zu greifen. Doch sie verfehlte ihn, geriet dabei heftig ins Schwanken, verlor schließlich das Gleichgewicht und fiel die Treppe hinunter. Der Dackel drehte sich nicht um, als ihre Schmerzensschreie erklangen. Er hüpfte schnell die nächsten Stufen hinunter. Jetzt musste nur noch das Herrchen so reagieren, wie Waldi erwartete.

Der Besitzer, diesmal ohne Jagdhut, machte selbst Bekanntschaft mit der Treppe, als er versuchte, seine Frau zu retten. Im Klartext: Er fiel ebenfalls hinunter. Direkt auf seine Gattin, deren Wehklagen sofort verstummte, denn er landete so unglücklich auf ihr, dass er ihr das Genick brach. Waldis Hoffnungen wurden erfüllt. Mittlerweile unten beim Ausgang angekommen, drehte er entzückt den Kopf nach oben und lauschte.

Der alte Mann zeterte und schimpfte wie ein greises Bauernweib! Sein Herrchen regte sich so heftig auf, dass er einen Herzinfarkt bekam und auf der Stelle verstarb. Waldis Besitzer lagen auf den kalten Stufen des Mehrfamilienhauses.

Der Dackel wartete freudestrahlend im Treppenhaus und siehe da, es kam eine Nachbarin vom Einkaufen zurück. Sie begrüßte ihn herzlich und wunderte sich, dass der Hund vor der Tür stand.

Ehe sie diese verschloss, huschte Waldi ins Freie, so schnell es seine Beine zuließen. Die Hilferufe der Nachbarin hörte er nicht mehr. Endlich konnte er mit seinen Hundefreunden – oh welch glücklicher Zufall, alle anwesend – draußen spielen und schnüffeln. Er tobte über die Wiese, ließ sich freudig vom Chihuahua anknurren, erschreckte die kleine Schüchterne und die mittelgroße Schönheit. Ach, was für ein zauberhafter Tag.

Das unheimliche Kind

Clara, sechs Jahre alt, zog mit ihrem allein-
erziehenden Vater in das Viertel. Obwohl sie
recht schüchtern war, fand sie schnell neue
Freunde in der Nachbarschaft. Wenn draußen die
Sonne warm vom wolkenlosen Himmel schien,
spielten sie alle fröhlich miteinander, fuhren
lautstark mit ihren Rollern die Spielstraße entlang
oder schaukelten abwechselnd auf dem einzigen
Spielplatz weit und breit. Niemand regte sich
über den Lärm der Kinder auf. Die Eltern waren
zufrieden, wenn sie vor ihren Sprösslingen für
kurze Zeit Ruhe hatten.

Clara fühlte sich glücklich unter den anderen
Kindern. Schon bald legte sie ihre Scheu ab. Es
stellte sich heraus, dass sie eine recht neun-
malkluge Göre war. Sie schüttelte leicht mit dem
Kopf und schaute die anderen Kinder schaden-
froh an, wenn sie es mal wieder besser wusste.

Eines Tages erklärte Clara ihren Freunden, als
diese einstimmig behaupteten, dass alle Kühe lila
wären, denn so sahen sie im Fernsehen aus, dass

die Tiere niemals diese Farbe hätten. Die kleine Clara lachte und hielt einen Vortrag über die Kühe, die Schokolade und Milch im Allgemeinen.

Ein Mädchen nahm ihr das besonders übel. Monica wohnte ein paar Häuser von den anderen entfernt. Ihre langen dunklen Haare überschatteten die großen Augen. Ihr Blick schien seelenlos zu sein, zur gleichen Zeit aber durchbohrte er ihr Gegenüber. Sie kam aus keinem vorbildlichen Elternhaus, so munkelte man. Oft sah sie vernachlässigt aus. Es hieß, dass sie in der Schule wiederholt fehle und die Eltern sie oft alleine ließen. Eigentlich könnte Monica einem leidtun, hätte sie nicht so eine unheimliche Art an sich gehabt. Irgendetwas stimmte nicht mit ihr. Sie redete kaum, aber wenn sie den Mund aufmachte, sang sie lautstark Lieder, die keiner verstand. Viele Menschen aus der Nachbarschaft schüttelten über das unheimliche Mädchen den Kopf. Als Clara ihren Vortrag über Kühe beendet hatte, starrte Monica sie mit zusammengekniffenen Augen wütend an.

Es vergingen ein paar Monate und der Winter kehrte ein. Monica regte sich über die ach so kluge Clara immer mehr auf. Sie fühlte Hass, wenn sie wieder einmal sah, dass ihre Freundin von ihrer Mutter abgeholt wurde oder ein neues Spielzeug geschenkt bekam.

Clara! Warum ist sie nur hergezogen? Warum hat sie alles?

Es kam so weit, dass Clara trotz ihrer Besserwisserei das beliebteste Kind in der gesamten Nachbarschaft wurde. Jedes andere Mädchen und alle Jungs spielten gerne mit ihr. Sie übersahen ihre Belehrungen und Berichtigungen und hatten Spaß. Monica schaute zu und ärgerte sich.

An einem kalten Wintermorgen fasste das unheimliche Mädchen einen Entschluss. Sie würde dafür sorgen, dass Clara von der Bildfläche verschwand. Sie wusste auch, wie sie dies in die Tat umsetzen wollte, und hoffte auf eine schnellstmögliche Gelegenheit. Die Temperaturen sanken gegen Null, die Gehwege und Straßen verschwanden unter einer dicken Schneedecke.

Trotz der Kälte schaukelte Monica auf dem beliebten Spielplatz. Als Einzige von den Kindern hatte sie sich nach draußen getraut. So dachte sie jedenfalls, denn es dauerte nicht lange, bis Clara, dick eingemummt in ihren schönsten Wintermantel, vor ihr stand und sie darüber aufklärte, dass das Wetter in diesem Winter kälter sei als all die Jahre zuvor.

Gut für mich, dachte Monica und voller Vorfreude spielte sie mit ihrer Freundin im Schnee. Wenig später rollte lautstark ein Müllwagen vorbei. Die Männer sprangen von ihrem orangenen Gefährt, schlossen die Box für die Biomülltonnen auf und entleerten sie. Monica beobachtete sie aus den Augenwinkeln, während sie mit Clara einen Schneemann baute. Wie immer stellten die Müllmänner die entleerten Tonnen an den Straßenrand, vergaßen, die Box zu verschließen, und fuhren mit Vollgas davon.

»Oh«, piepste Monica fröhlich.

Sofort sprang Clara auf die Beine. »So geht das nicht«, rief sie. »Mein Papa wird sich darüber ärgern.« Mit Monica auf den Fersen lief sie das kurze Stück zu der steinernen Box, um sie zu verschließen. Es schneite von Minute zu Minute heftiger.

»Wäre es nicht lustig, wenn wir uns in der Box verstecken?«, meinte Monica beiläufig.

Clara verdrehte die Augen. »Wenn du meinst.«

»Geh du als Erstes.«

Die ahnungslose Clara nickte und verschwand in der Box. Sofort nahm Monica ihre ganze Kraft zusammen und drückte hinter der Freundin die Türen zu. Das Schloss rastete automatisch ein.

Clara war in der engen und kalten Mülltonnenbox gefangen. Alleine kam sie nicht mehr hinaus. Sofort wurde ihr klar, dass Monica sie absichtlich eingesperrt hatte, und sie bat lautstark, wieder herausgelassen zu werden. Doch dieses unheimliche Mädchen lachte nur und lief laut singend davon. In den nächsten Stunden vermisste niemand das arme eingeschlossene Kind, denn

Claras Vater hatte ihr erlaubt, bis zum Abendessen mit den Nachbarskindern draußen zu spielen. Erst als sie nicht zum Essen erschien, machte er sich auf die Suche nach ihr.

Die arme Clara lag bereits stark unterkühlt auf dem Steinboden, hatte Schmerzen und zitterte heftig. Hilferufe hatte sie schon längst aufgegeben. Niemand hatte sie gehört. Sie verlor jegliche Hoffnung, dass jemand vorbeikam, um die Mülltonnen in die Box zu schieben. Die Polizei suchte stundenlang nach ihr, während ihre Körpertemperatur rapide abnahm. Ihr Vater verzweifelte und lief durch die Nachbarschaft, um sie zu finden.

Clara wurde bewusstlos und ihr steifer Körper fror am Boden fest. Langsam, immer schleppender schlug ihr Herz, bis es zum Stillstand kam.

Monica beobachtete die Suche nach Clara von ihrem Kinderzimmerfenster aus. Niemand hatte mitbekommen, was sie getan hatte. Sie lachte darüber und erzählte es stolz ihren Puppen.

Und wie die Schneeflocken zart herabfielen, schwebte Claras kleine, erstaunte Seele gen Himmel. Das unheimliche Mädchen lächelte glücklich.

Der Bulle

Dichte dunkle Wolken schoben sich über das Wohnviertel, als hätte die Natur gewusst, was die Menschen in den Häusern erwartete. Die Farben des Himmels wechselten so schnell, wie die Bewohner durch die Straßen liefen, um sich ja nicht grüßen zu müssen. Sie wussten, was sie verbrochen hatten. Ihre Schuld spiegelte sich auf den Gesichtern wider.

Bei den mörderischen Tieren hatte sich Schwermut ausgebreitet. Die Vögel sangen kaum und die Hunde ließen beim Gassigehen ihre Köpfe hängen und trotteten ihren Besitzern träge hinterher.

Der Winter schien vorbei zu sein. Als ein neuer Mieter auf seinen Parkplatz fuhr, lichtete sich der Himmel ein wenig. Er stieg aus, nahm eine große Kartonladung aus dem Kofferraum und lief gemächlich zu seinem neuen Zuhause. Neugierige Augen beobachteten ihn aus den angrenzenden Fenstern. Wenn er die Blicke bemerkte, versteckte er es. Schon vor seiner Ankunft hatte sich herumgesprochen, dass er ein Polizist sei.

Wilde Spekulationen schwirrten umher. Arbeitete er beim SEK? Ritt er etwa mit seinem Dienstpferd bei Fußballspielen, um die Fans vor sich selbst zu schützen? Oder wohnte im Viertel jetzt ein Kommissar der Mordkommission? Eine erschreckende Vorstellung für alle. Wahrscheinlicher war, dass der Neue schlicht und einfach als Streifenpolizist arbeitete. Ja, so musste es sein!

Es vergingen ein paar Tage und das Wetter besserte sich zunehmend. Die alte Frau Müller wohnte Tür an Tür mit dem neuen Nachbarn. Nach reiflicher Überlegung nahm sie sich ein Herz und klopfte bei ihm. Mit einem Ruck wurde die Wohnungstüre aufgerissen.

»Ja?«
»Guten Morgen, Herr …«
»Meier«, dröhnte es bestimmt und wie aus der Pistole geschossen aus der Wohnung.
»Ah, der Herr Meier also. Ja, ich bin die Frau Müller von nebenan. Ich wollte nur mal Hallo

sagen und Sie in unserer Gemeinschaft be-
grüßen!« Die alte Frau lächelte gekünstelt.

»Ich danke ihnen.« Aus zwei Metern Höhe
schauten aufmerksame Augen auf die Müller her-
ab. Diese fühlte sich zunehmend unwohl. Schnell
drehte sich weg und sagte: »Falls mal was ist …«

»Was soll denn sein?«

Frau Müller blieb stehen und sah erschrocken
ihren Nachbarn an. Die tiefe Stimme ließ sie innerlich zittern, er klang warnend und forschend
zugleich. »Wie meinen Sie das?«

Er sah sie wissend an. »Kann ich Ihnen irgendwie
helfen?«
»Mir helfen?«
»Hm …«
»Um Gottes willen, nein. Es ist alles in
Ordnung!«
»Wenn Sie das sagen.«
Frau Müller nickte eifrig und floh in ihre eigene
Wohnung zurück.

Wenig später rief sie via Telefon den engsten Kreis der Nachbarschaft für ein Treffen in der Kneipe zusammen. Sie kamen alle. Die Neugier und ihre Schuld ließen sie im Wirtshaus *Beim Bullen* – ein toller Name, oder? – erscheinen. Ihre Angst spiegelte sich auf den Gesichtern wider. Sie setzten sich an einen der hinteren Ecktische und redeten durcheinander. Sie redeten und redeten, doch zu einer Lösung kamen sie nicht. Das Einzige, worin sie sich einig waren, war die Tatsache, dass der Herr Polizist so schnell wie möglich verschwinden musste.

Sie tranken bis zum späten Abend und ihre Unterhaltungen wurden immer lauter. Sie schallten über die angrenzende Straße hinaus. Niemand von ihnen bekam mit, wie mehrere Streifenwagen vorfuhren. Die Beamten besprachen sich kurz und wenige Augenblicke später stürmten sie die Kneipe und hielten direkt auf den Ecktisch der Bewohner zu.

Hektisch versuchten einige von ihnen aus der plötzlichen Enge hinauszudrängen. Es gelang ihnen nicht. Frau Müller behauptete, dass sie nur mal so vorbeigekommen wäre. Ihre Fahne wehte durch den Raum und ehe sie sich versah, klickten bei ihr die Handschellen. So wie bei einem jeden von ihnen. Betretenes Schweigen breitete sich aus. Bevor sie abgeführt wurden, sagte der neue Nachbar: »Sparen Sie sich Ihre Worte. Sie sind alle verhaftet!«

Einer aus der Nachbarschaft musste sie verraten haben! Doch wer? Frau Müller blickte sich um und bemerkte leider viel zu spät, dass einer von ihnen tatsächlich fehlte.

Edgar Esche!

Edgar hatte sie bei der Polizei verpetzt. Dafür bekam er eine milde Strafe. Er kannte alle ihre Geheimnisse. Der negative Höhepunkt von zu viel Getratsche.

Wenn die schuldigen Haustiere gedacht hatten, dass das Unheil an ihnen vorüberziehen würde, so lagen sie falsch. Innerhalb weniger Stunden kamen Mitarbeiter verschiedener Tierheime und holten sie ab. Hansi fand sich in einer riesigen

Voliere wieder, wo er von den anderen Vögeln aggressiv gemobbt wurde. Wäre er bloß nicht zurückgekehrt!

Waldis Hundezwinger lag zwischen denen von zwei großen, wild aussehenden Dobermännern. Sie knurrten stundenlang und verhöhnten ihn.

Die restlichen Hunde zerfleischten sich gegenseitig, als sie sich beim gemeinsamen Auslauf im Tierheim wiedersahen. Sie hatten sich nie gemocht.

Bei Guido hatte das Schicksal vorher zugeschlagen. Die Raben beschlossen, dass er zu viel wusste, und töteten ihn, als er auf seiner Stange auf dem Balkon das Wetter genoss. Aber erst nachdem er durch sein permanentes und überhebliches Geplapper die Tiergemeinschaft verraten hatte.

Ihr fragt euch jetzt sicherlich, was aus den gemeinen Kindern geworden ist, stimmt's? Ihre Eltern kamen ihnen auf die Schliche, holten sich Rat beim örtlichen Jugendamt und die dortigen

Sachbearbeiter entschieden, dass es besser wäre, die lieben Kleinen in ein Heim für Schwererziehbare zu stecken. Die Eltern protestierten nicht, denn sie hatten Angst vor ihren Kindern.

Was wurde aus dem Wohnviertel? Nach und nach zog es neue junge Familien dorthin. Neben dem stundenlangen Kindergeschrei und dem Brummen von Rasenmähern lag endlich Frieden über den Wohnhäusern. Schließlich wohnte ein Bulle unter ihnen.

So endet unser kleines Büchlein über diese merkwürdige und tödliche Nachbarschaft.

Fazit: Überlegt euch genau, in welcher Umgebung ihr wohnen möchtet. Achtet auf die Nachbarn. Traut niemandem! Nicht mal euren eigenen Haustieren.

Nicht dass sich jemand von hinten anschleicht und ihr blöd aus dem Fenster fallt.

Auf gute Nachbarschaft!

Danksagung

An dieser Stelle möchte ich mich bei allen bedanken, die mich bei diesem Buch unterstützt und motiviert haben.

Zunächst bedanke ich mich bei meiner Lektorin Luise Deckert, für die tolle Zusammenarbeit an meinen Geschichten. Dank Dir, haben sie sich weiterentwickelt.

Ein besonderer Dank geht an Sabrina Finke, für das Korrektorat. Ihre zusätzlichen Anmerkungen haben mir sehr geholfen!

Lieben Dank an meine Schwester Sandra, für ihre Zeit und für das Zuhören. Du hast als Erste über die Geschichten gelacht.

Ein weiterer Dank geht an meine fleißigen Testleserinnen und Testleser. Ihr wisst schon, wer gemeint ist.

Für die Beantwortung meiner Fragen zur Veröffentlichung und der guten Zusammenarbeit, ein herzliches Dankeschön an die Mitarbeiter vom tredition Verlag.

Und einen lieben Dank an Sie, liebe Leserinnen und Leser! Sie haben das Buch gekauft und hoffentlich ein paar unterhaltsame Stunden damit verbracht.

Über die Autorin

Jamie Coyson lebt und arbeitet im Rheinland. Schon als Jugendliche schrieb sie gerne Geschichten und Gedichte. Sie ist selbst eine Leseratte und liebt es, mit ihrem Hund spazieren zu gehen. Aktuell arbeitet Jamie an ihrem ersten Fantasyroman.

Neuigkeiten zu Jamie Coyson finden Sie auf ihrer Internetseite: **www.jamiecoyson.de**
Abonnieren Sie ihren Newsletter!

Folgen Sie Jamie Coyson auf Social Media!

instagram.com/jamiecoyson

twitter.com/JamieCoyson

Weitere Werke der Autorin

Jamie in Wonderland - Gedichte und
Texte (ISBN-13: 9783748141235
BOD Verlag).

Printed by Amazon Italia Logistica S.r.l.
Torrazza Piemonte (TO), Italy

38030494R00046